MES EXPÉRIENCES AVEC

LA LUMIÉRE

Bryan Murphy

Conseiller scientifique : Christine Sutton,

Département de physique nucléaire de l'université d'Oxford

Conseiller pédagogique : Ruth Bessant

Traduction : Hélène Costes

Scholastic Canada Ltd.

123, Newkirk Road, Richmond Hill (Ontario) Canada

Édition originale publiée en 1991 par Two-Can Publishing Ltd.
Exclusivité au Canada et aux États-Unis: Scholastic Canada Ltd,
123, Newkirk Rd, Richmond Hill (Ontario) Canada L4C 3G5.

4321   Imprimé et relié à Hong-Kong   234/9

Données de catalogage avant publication (Canada)
Murphy, Bryan
    Mes expériences avec la lumière

Traduction de: Experiment with light.
ISBN 0-590-74331-7

1. Lumière - Expériences - Ouvrage pour la
jeunesse. I. Kindberg, Sally. II. Pragoff,
Fiona. III. Titre.

QC360. M814 1992   j532'.078   c92-093212-6

Crédits photographiques
Pour toutes les photos Fiona Pragoff à l'exception de la p. 15 et des suivantes :
p. 4 (haut) ZEFA Picture Library (UK) Ltd, (bas gauche) J. Allan Cash Photolibrary, (bas droite) Science Photo Library; p. 5 (bas droite) NHPA; p. 7 (centre droit) J. Allan Cash Photolibrary; p. 10 (haut) Science Photo Library, (centre gauche) Art Directors Photo Library, (bas) NHPA; p. 11 (haut) ZEFA Picture Library (UK) Ltd; p. 12 (haut) ZEFA Picture Library (UK) Ltd; p. 22 (haut) NHPA, (bas gauche) Telegraph Colour Library; (bas droite) ZEFA Picture Library (UK) Ltd; p. 23 (haut) ZEFA Picture Library (UK) Ltd; p. 26 (haut droite) Science Photo Library; p. 28 (haut droite) ZEFA Picture Library (UK) Ltd.

Illustrations de Sally Kindberg.
Avec nos remerciements aux professeurs et aux élèves de l'école primaire St Thomas à Londres, ainsi qu'à Matthew Dickens et Pippa West.

SOMMAIRE

Tu trouveras dans le glossaire tous les mots en **caractères gras**.

ÉTRANGE LUMIÈRE

La lumière est très étrange. On ne peut ni la toucher, ni l'entendre, ni la sentir seulement la voir. Voici quelques renseignements.

La lumière se déplace très vite. En une seconde, elle parcourt une distance qui équivaut à faire sept fois le tour de la Terre.

▶ La lumière est une forme d'**énergie**. Cette maison a des panneaux solaires qui captent les rayons du soleil pour faire de l'électricité.

▲ Quand un objet devient très chaud, il émet de la lumière. Des braises, par exemple, émettent une lumière rouge.

▲ Des corps extrêmement chauds, comme ces étoiles, émettent une vive lumière blanche. Leur couleur dépend de leur température.

▼ Les choses **transparentes**, comme de l'eau claire, se laissent traverser par la lumière.

Les choses **translucides**, comme une vitre givrée, laissent passer la lumière, mais on voit trouble à travers.

On ne peut rien voir à travers les choses **opaques** parce qu'elles ne laissent pas passer la lumière.

▶ Les plantes vertes utilisent la lumière pour produire de la nourriture. Notre vie, comme celle des animaux, dépend de la leur.

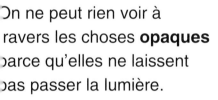

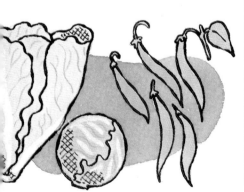

OMBRES ET LUMIÈRE

La lumière voyage en ligne droite : elle ne contourne pas les objets. Quand tu es au soleil, ton corps projette une ombre sur le sol parce qu'il empêche la lumière de passer. As-tu déjà joué avec ton ombre? Est-ce qu'elle a exactement la même forme que ton corps, ou pas? Sais-tu pourquoi?

◀ Ton ombre s'étend-elle vers le Soleil ou s'en écarte-t-elle? Reste immobile et demande à un(e) ami(e) de tracer le contour de ton ombre avec une craie. Ton ombre a-t-elle la même forme quand elle se projette sur un mur au lieu de se projeter sur le sol?

Les ombres ne restent pas immobiles. Elles se déplacent tandis que le Soleil accomplit sa course dans le ciel. Tu peux connaître l'heure grâce aux ombres en faisant un **cadran solaire**. Il faut un crayon, du bristol et de la pâte à modeler.

Enfonce le bout du crayon dans un morceau de pâte à modeler et fixe-le bien droit sur le bord du bristol.

Pose ton cadran solaire sur un appui de fenêtre exposé au sud. Le Soleil projettera une ombre du crayon sur le bristol. Toutes les heures, marque d'un trait la position de l'ombre. À la fin de la journée, tu auras une horloge que tu n'auras jamais besoin de remonter!

Ne regarde jamais directement le Soleil. Sa lumière peut te blesser les yeux.

◀ Parfois, le Soleil projette une ombre gigantesque sur la Terre. C'est l'ombre de la Lune qui passe juste entre le Soleil et la Terre. On ne voit plus alors qu'un anneau brillant autour de la forme sombre de la Lune. C'est ce qu'on appelle une **éclipse**.

◀ Amuse-toi à dessiner une **silhouette**. Place une lampe de façon que l'ombre d'un ami se projette sur un mur. Puis fixe une feuille de papier sur le mur pour y tracer le contour de l'ombre. Il faut que ton ami reste immobile. Quand tu as fini, tu peux découper la forme ou bien la colorier. Tu verras : ce sera très ressemblant, malgré l'absence de détails.

UNE CHAMBRE NOIRE

Une **chambre noire** te permettra de reproduire fidèlement une scène sur du papier, comme un grand dessinateur. Il te suffit de trouver une boîte, de la peinture noire, du papier-calque, du ruban adhésif ou de la colle, un grand morceau de tissu noir et un clou.

Découpe un rectangle sur un côté de la boîte à 2 centimètres des bords. Peins en noir l'intérieur de la boîte. Puis demande à un adulte de percer un petit trou avec le clou au milieu du côté opposé à l'ouverture rectangulaire. Quand la peinture est sèche, ferme bien le dessus de la boîte et fixe le papier calque devant l'ouverture avec du ruban adhésif.

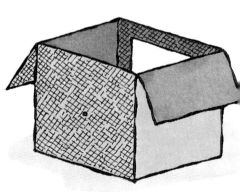

▲ Pose la boîte sur un support fixe. Dirige le petit trou vers un objet bien éclairé. Tu obtiens une image renversée, mais dont tu peux tracer les contours.

Pour mieux voir l'image sur le calque, mets le tissu noir sur la boîte et sur ta tête. Tu peux déplacer un peu la boîte de façon à avoir une image plus claire.

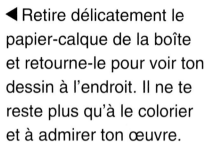

◄ Retire délicatement le papier-calque de la boîte et retourne-le pour voir ton dessin à l'endroit. Il ne te reste plus qu'à le colorier et à admirer ton œuvre.

◄ Essaie d'utiliser des boîtes de différentes tailles. Si tu fais un trou plus gros avec le clou, l'image sera plus lumineuse, mais elle risque d'être un peu floue. Tu peux aussi peindre ta chambre noire.

LUMIÈRE DÉVIÉE

Sur la Terre, presque toute la lumière vient du Soleil. Quand la Lune brille, elle nous renvoie la lumière du Soleil. Connais-tu d'autres sources de lumière naturelle?

▲ On dirait que les étoiles clignotent ou scintillent. C'est parce que les différentes couches d'air de l'atmosphère font dévier leurs rayons lumineux.

◄ Il y a parfois une couche d'air brûlant près du sol qui peut faire dévier la lumière. On croit alors voir une nappe d'eau à l'horizon. C'est un **mirage**.

◄ Quand tu nages sous l'eau, lève les yeux vers la surface. On dirait qu'un miroir flotte sur l'eau. C'est parce que les rayons lumineux venus d'en haut ont changé de direction en rencontrant l'eau.

▼ Voici un tour que tu peux faire à un ami. Jette une pièce ou un bouton dans une tasse. Place la tasse de sorte que le bord lui cache complètement la pièce. Verse doucement de l'eau dans la tasse et la pièce lui apparaîtra comme par magie, parce que l'eau dévie les rayons lumineux.

LES LENTILLES

Les scientifiques utilisent des instruments grossissants, comme les **microscopes**, pour observer de minuscules objets. Tu as peut-être une **loupe** qui te permet de mieux voir de petits insectes. Le verre d'une loupe est plus épais au milieu que sur les bords et grossit ce qu'on regarde.

Que verrais-tu à travers une **lentille** plus fine au milieu que sur les bords? Pour le savoir, tu n'as qu'à mettre les lunettes d'une personne qui est presbyte. Vois-tu la différence? Tout paraît plus petit. Ne porte jamais longtemps les lunettes d'une autre personne.

◄ Voici comment faire une loupe. Il te faut un plat creux transparent, de l'eau et un peu d'huile. Mets de l'eau dans le plat et verse un petit peu d'huile pour avoir une nappe d'huile d'un centimètre de large environ à la surface de l'eau.

Pose le plat sur des caractères imprimés. Ceux que tu verras à travers l'huile seront grossis. Tu peux **mettre au point** en changeant la quantité d'eau.

13

PHOTOGRAPHIE

As-tu un **appareil-photo**? Si tu n'en as pas, demande à un adulte de t'en montrer un pour voir comment il marche. Compare-le à une chambre noire. Quelles différences remarques-tu?

◀ Il existe de nombreux types d'appareils, mais presque tous ont cinq parties.

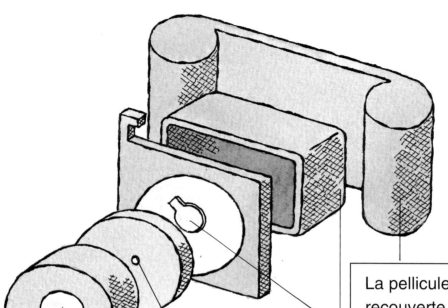

La pellicule, où se forme l'image, est recouverte de gélatine sensibilisée.

L'objectif est une lamelle courbe de verre ou de plastique que la lumière traverse pour former une image sur la pellicule.

Le diaphragme est un trou dont on peut modifier la dimension pour laisser passer plus ou moins de lumière.

Le boîtier est une boîte opaque, dont l'intérieur est en général noir pour absorber la lumière diffuse.

L'obturateur contrôle le temps pendant lequel la lumière frappe la pellicule.

◀ Les appareils automatiques se règlent tout seuls.

▶ Un appareil à réglage manuel offre plus de possibilités au photographe.

De nombreux scientifiques utilisent la photographie pour enregistrer leurs observations. Voici quelques tuyaux pour mieux réussir tes photos :

- N'oublie pas d'enlever le cache!

- Si tu n'utilises pas de flash, assure-toi qu'il y a assez de lumière.

- Si tu fais un réglage manuel, sois très précis.

- Garde les mains bien immobiles.

- Assure-toi que ton sujet remplit le cadre.

- Vérifie que les pieds, les mains et les têtes sont sur la photo.

- Ne mets pas les doigts sur l'objectif : ta photo serait gâchée.

- Assure-toi que la pellicule est bien mise.

- Ne dirige pas l'appareil vers le Soleil. Il faut tourner le dos au Soleil.

LES YEUX

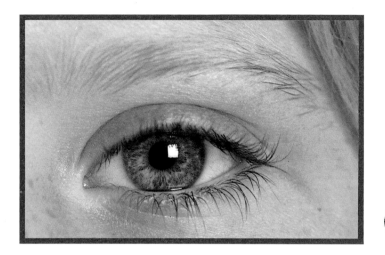

Tes yeux sont un peu comme des appareils-photos.

▶ Voici un œil vu en coupe.

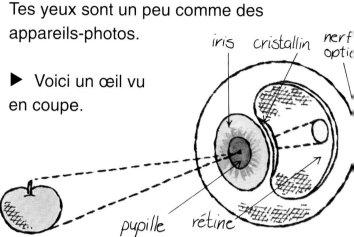

iris cristallin nerf optique
pupille rétine

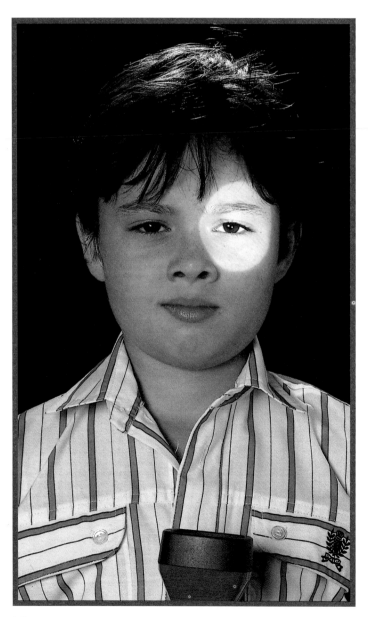

◀ Fais l'obscurité dans une pièce et regarde l'œil d'un ami. Comment est la pupille? Puis éclaire-le avec une lampe de poche. La pupille change-t-elle de taille? Quand il fait sombre, la pupille s'agrandit pour laisser entrer plus de lumière. Si la lumière est vive, la pupille rétrécit.

La pupille est un trou qui laisse entrer la lumière dans l'œil. Derrière la pupille se trouve le cristallin qui agit comme la lentille d'un objectif : il fait converger la lumière sur la rétine. Quand il ne marche pas bien, on doit porter des lunettes ou des lentilles de contact.

Une image renversée des objets extérieurs se forme sur la rétine. Le nerf optique transmet des messages au cerveau qui les retraduit en images.

L'iris, la partie colorée, agit comme un diaphragme : il contrôle la quantité de lumière qui entre dans l'œil en changeant la taille de la pupille.

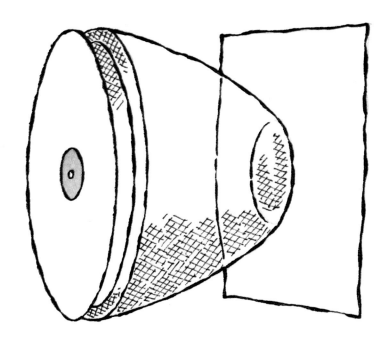

Tu peux faire la maquette d'un œil avec un bol en verre transparent et du bristol. Découpe un trou d'un centimètre de diamètre dans le bristol. Tu peux colorier le pourtour pour représenter l'iris. Dirige ton œil vers l'écran du téléviseur.

Tiens une feuille de papier blanc derrière l'œil. Rapproche ou éloigne la maquette de l'écran jusqu'à ce que tu aies une bonne image sur la rétine en papier. N'oublie pas que l'image sera renversée.

ILLUSIONS D'OPTIQUE

Certaines images trompent notre cerveau. Il interprète mal les messages que lui envoient nos yeux, et on voit alors des choses très bizarres : ce sont des illusions d'optique.

▶ Tiens cette page à 30 centimètres environ de ton visage et ferme l'œil gauche. Dirige ton regard sur la fourmi. Tu continues à voir l'araignée. Puis, sans détacher ton regard de la fourmi, rapproche lentement la page. Soudain, l'araignée disparaîtra! Tu as trouvé ton «point aveugle», l'endroit où le nerf optique rejoint l'œil.

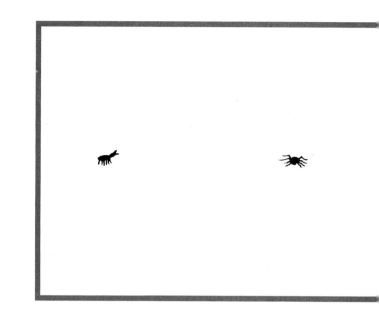

▼ Que regardent ces deux amis?

Est-ce que la jeune fille atteindra un jour le sommet de cet escalier?

Vois-tu des taches grises aux endroits où les lignes blanches se croisent?

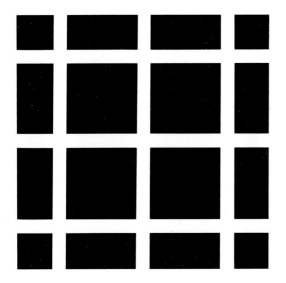

Un escalier, vu de dessus ou de dessous?

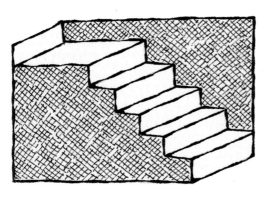

Lequel est le plus grand? Mesure-les.

▲ Est-ce le portrait d'une jeune femme avec des boucles d'oreille ou d'une vieille dame avec un gros nez?

MIROIR MAGIQUE

Quand la lumière tombe sur une surface lisse et brillante comme un **miroir**, elle change de direction. C'est ce qu'on appelle la **réflexion**. Un miroir réfléchit la lumière et donne une image des objets.

Les miroirs peuvent être très utiles. Dans une voiture, il y en a un au-dessus du pare-brise et un sur l'aile avant de façon que le conducteur puisse voir la position des véhicules qui se trouvent derrière lui sans avoir à se contorsionner sur son siège.

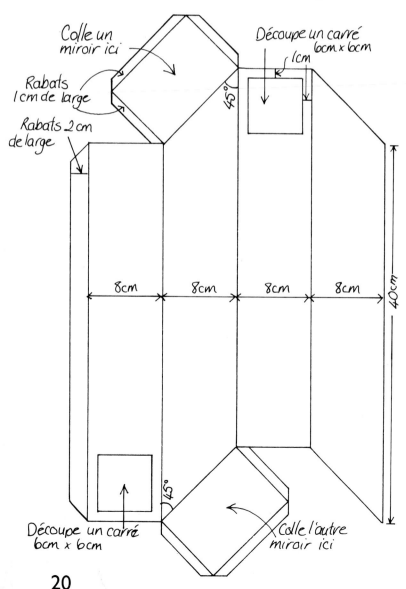

As-tu parfois envie de voir ce qu'il y a derrière un mur sans l'escalader? Eh bien, c'est possible si tu fabriques un **périscope**. Il te faut deux miroirs, d'environ 10cm sur 8cm, et du bristol. Demande à un adulte de t'aider.

◀ Reproduis cette forme sur du bristol et découpe-la. Colle les miroirs, enduis les rabats de colle, puis plie le bristol pour faire une longue boîte.

▶ Tu peux maintenant voir par-dessus les murs sans être vu - ce qui est très utile pour jouer à cache-cache.

Cherche d'autres miroirs chez toi. Certains sont plats et d'autres sont courbes. Une cuillère est comme un miroir. Regarde ton reflet sur chaque côté de la cuillère. Sur lequel te vois-tu à l'envers?

LES COULEURS DE L'ARC-EN-CIEL

Imagine le monde en noir et blanc : des étendues d'herbe grise parsemées de fleurs grises sous un ciel gris! Les **couleurs** ne sont pas seulement jolies. Elles servent à beaucoup d'animaux et de plantes. Certaines fleurs ont de vives couleurs pour attirer les insectes qui répandront leur pollen.

▼ Les mâles de nombreuses espèces animales, comme ce paon, utilisent des couleurs vives pour attirer une compagne.

▲ D'autres animaux se protègent de leurs ennemis grâce à leur couleur. Le caméléon se camoufle en prenant la couleur de ce qui l'entoure.

Les couleurs de l'arc-en-ciel

rouge

orangé

jaune

vert

bleu

indigo

violet

▲ La lumière qui vient du Soleil se compose de nombreuses couleurs. On peut voir ces couleurs dans un **arc-en-ciel**, quand le Soleil brille pendant une averse. Les gouttes de pluie séparent les différentes couleurs de la lumière.

◀ Tu peux faire un arc-en-ciel en arrosant le jardin. Mets ton pouce sur le bout du tuyau pour disperser le jet en fines gouttelettes. Si tu tournes le dos au Soleil, tu verras toutes les couleurs de l'arc-en-ciel dans le jet d'eau.

L'herbe paraît verte parce qu'elle réfléchit la lumière verte. Elle absorbe toutes les autres couleurs. Une fleur jaune réfléchit la lumière jaune. Les objets noirs chauffent au Soleil parce qu'ils absorbent toutes les couleurs. Un objet blanc réfléchit toutes les couleurs.

23

DISQUES COLORÉS

À ton avis, que se passerait-il si tu faisais se mêler toutes les couleurs de l'arc-en-ciel?

Découpe un cercle dans du bristol et divise-le en six parties égales. Peins chaque partie en rouge, orangé, jaune, vert, bleu et violet. Perce deux trous espacés d'un centimètre au milieu du cercle, passes-y les deux bouts d'une ficelle de 50 centimètres de long et fais un nœud. Tiens les boucles de la ficelle avec un doigt de chaque main et fais tourner le disque. Tu peux ensuite le faire tourner très vite en tendant la ficelle et en la relâchant quand elle est détortillée.

▲ Vois-tu toujours les couleurs du disque lorsqu'il tourne très vite? Il paraît maintenant d'un blanc grisâtre. Tu n'arrives plus à percevoir les couleurs séparées à cause de la vitesse à laquelle elles tournent devant tes yeux et tu vois le disque blanc.

▼ Divise l'autre face du disque en trois parties, et peins-la en rouge, vert et bleu. Vois-tu aussi cette face devenir blanc grisâtre quand le disque tourne? Fais d'autres essais avec des disques à deux couleurs. Essaie avec du rouge et du vert, du rouge et du bleu, puis du bleu et du vert. De quelle couleur semble être chacun de ces disques quand tu les fais tourner?

LE ROUGE ET LE VERT

Il y a des gens qui ne voient pas très bien certaines couleurs. On dit qu'ils sont **daltoniens**. La plupart des daltoniens ne peuvent pas distinguer les différentes nuances de rouge et de vert. Vois-tu des chiffres dans ce cercle? Les personnes atteintes de daltonisme ne peuvent pas les voir.

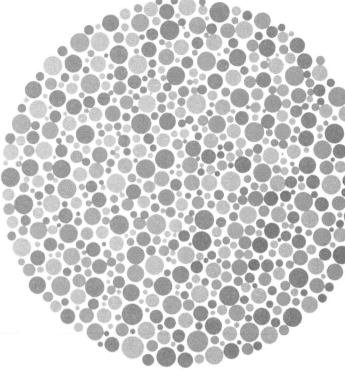

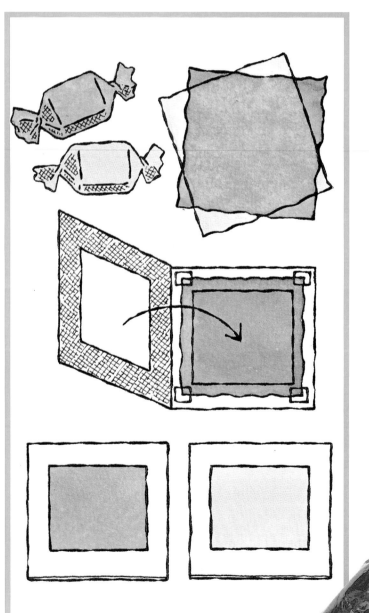

◀ On voit aussi les couleurs autrement si on regarde à travers une feuille de plastique coloré appelée **filtre**. Tu peux faire un assortiment de filtres colorés avec des papiers de bonbons. Insère-les dans des cadres en carton. Regarde à travers un filtre rouge. Tout ce qui est rouge, jaune ou orange paraîtra clair, tandis que les autres couleurs paraîtront sombres. Les photographes utilisent souvent des filtres rouges ou orangé quand ils photographient un paysage pour rendre le ciel plus sombre.

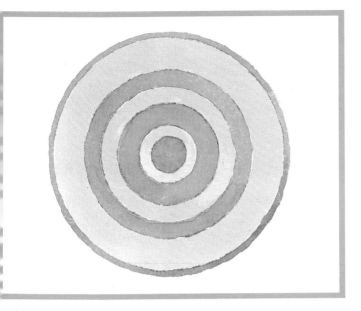

Mets un filtre vert devant ton œil gauche et un rouge devant ton œil droit. Regarde ces dessins en fermant un œil, puis l'autre. Ils vont te paraître très étranges. Essaie de faire d'autres dessins rouges et verts.

27

TÉLÉVISION EN COULEURS

T'es-tu déjà demandé comment est faite une image de **télévision**? Quand tu regarderas ton émission favorite, observe bien l'écran.

▼ L'image se compose de petits points. Vois-tu de quelle couleur ils sont? Il n'y a que des points rouges, verts et bleus. Comment ces trois couleurs peuvent-elles former toutes les couleurs que tu vois sur l'image?

Avec des peintures de couleurs

rouge + vert = brun

vert + bleu = turquoise

rouge + bleu = violet

rouge + vert + bleu = noir

Si tu t'éloignes de l'écran, les points lumineux se mélangent pour former les couleurs de l'image.

▶ Mélanger des lumières n'est pas comme mélanger des peintures. En peinture, du vert et du rouge donnent du brun. Une lumière rouge et verte paraît jaune. Regarde la page de droite. Que remarques-tu d'autre?

Voici une image de télévision. Il y a du rouge là où seuls brillent les points rouges. Il y a du bleu là où seuls brillent les points bleus. Il y a du vert là où seuls brillent les points verts.

Il y a du turquoise là où brillent les points verts et les points bleus.

Il y a du violet là où brillent les points rouges et les points bleus.

Il y a du jaune là où brillent les points rouges et les points verts.

Quand les points rouges, bleus et verts brillent à la fois, on voit du blanc.

GLOSSAIRE

Appareil-photo : Appareil qui fait converger la lumière sur du papier recouvert de produits sensibles à la lumière.

Arc-en-ciel : Grand arc lumineux qui apparaît dans le ciel quand la lumière du Soleil traverse des gouttes de pluie et se décompose en plusieurs couleurs.

Cadran solaire : Instrument qui permet de connaître l'heure d'après la position d'une ombre projetée sur une surface où sont indiquées des divisions de temps.

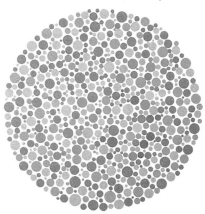

Chambre noire : Boîte fermée et obscure où une petite ouverture fait pénétrer les rayons lumineux et où une image de ce qui se trouve à l'extérieur se forme sur un écran.

Couleur : Impression visuelle produite par un objet qui réfléchit une partie de la lumière solaire ou électrique.

Daltonisme : Incapacité de distinguer certaines couleurs, comme le rouge et le vert.

Éclipse : Il y a une éclipse de Soleil lorsque la Lune passe entre le Soleil et la Terre et masque le Soleil.

Énergie : Ce que possède toute chose capable d'activité.

Filtre : Lamelle de verre ou de plastique transparent coloré.

Illusion d'optique : Mauvaise interprétation des messages émis par nos yeux.

Lentille : Verre taillé en forme de lentille servant dans les instruments d'optique.

Loupe : Lentille qui fait paraître les objets plus gros.

Mettre au point : Obtenir une image plus nette avec une lentille.

Microscope : Instrument composé de plusieurs lentilles qui permet d'observer des objets minuscules.

Mirage : Vision trompeuse d'une nappe d'eau, due à la déviation de la lumière par une couche d'air chaud située près du sol.

Miroir : Surface qui réfléchit la lumière.

Opaque : Qui empêche la lumière de passer.

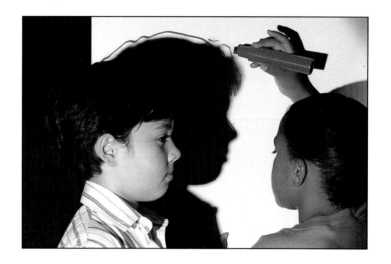

Périscope : Appareil formé de deux miroirs qui permet de voir par-dessus un obstacle tel qu'un mur. Dans un sous-marin, il permet d'observer la surface des eaux.

Réflexion : Changement de direction de la lumière qui tombe sur une surface brillante.

Silhouette : Dessin d'une ombre.

Téléviseur : Appareil qui diffuse les sons et les images émis par des stations de télévision.

Translucide : Qui laisse passer la lumière, mais on voit trouble à travers.

Transparent : Qui se laisse traverser par la lumière.

INDEX